C000292858

Un personnage de Thierry Courtin
Couleurs : Françoise Ficheux

Loi n°49-956 du 16 juillet 1949
sur les publications destinées à la jeunesse,
modifiée par la loi n°2011-525 du 17 mai 2011.

25 avenue Pierre de Coubertin, 75013 Paris
ISBN : 978-2-09-250826-8
Achevé d'imprimer en janvier 2016
par Lego, Vicence, Italie
N° d'éditeur : 10220259 - Dépôt légal : octobre 2005

T'choupi va sur le pot

Illustrations
de Thierry Courtin

– Regarde, T'choupi, c'est un pot pour toi. Dès que tu auras une petite envie, tu pourras faire pipi dedans.

T'choupi s'installe sur le pot
et fait pipi.
– Bravo mon T'choupi !
Tu sais faire pipi comme
un grand... Tu vas vider
ton pot dans les toilettes,
maintenant ?

T’choupi porte le pot
en faisant bien attention.
– Tu as vu, papa, je n’ai
rien renversé !

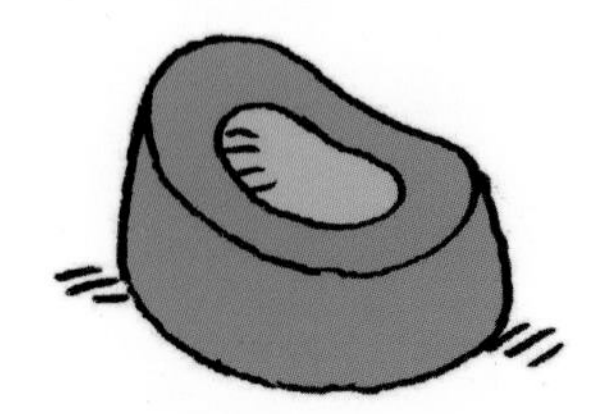

T’choupi vide le pot
dans les toilettes.
– Je peux tirer la chasse
d’eau ?
T’choupi appuie sur le bouton,
et... psssh ! le pipi s’en va.

Un peu plus tard, papa appelle T'choupi pour jouer dans le jardin.
Avant de sortir, il demande :
– Tu ne veux pas faire pipi dans ton pot ?

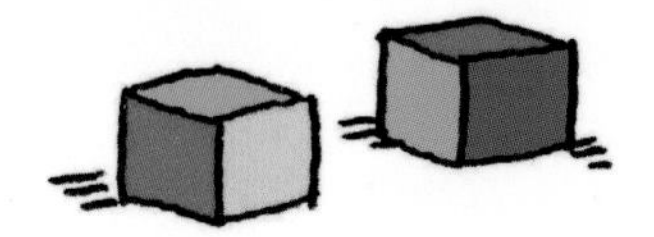

T'choupi s'assoit sur le pot :
pas une goutte !
– Je peux quand même tirer
la chasse d'eau, papa ?
– La prochaine fois que
tu feras pipi, mon T'choupi.

Mais dès qu'ils sont dans
le jardin, T'choupi s'écrie :
– Papa, où est mon pot ?
J'ai envie de faire pipi !

T'choupi court vers la salle de bains, mais le pot n'y est plus ! Papa prend T'choupi par la main.
– Je sais où il y a un autre pot, encore mieux !

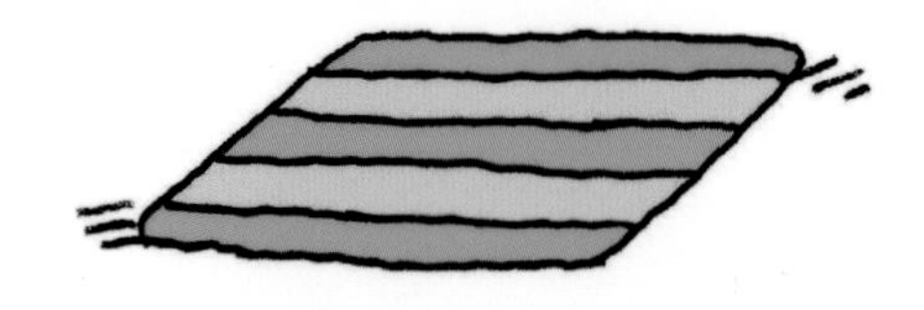

Et papa installe T'choupi
sur les toilettes des grands.
Ouh là là, c'est haut !

Faire pipi sur le grand pot,
c'est plus rigolo !
– Moi, dit T'choupi,
ce que je préfère, c'est
tirer la chasse d'eau…